猫《ボク》は ここにいるよ

新倉　ヨシコ

❖ボクの家族は四人です

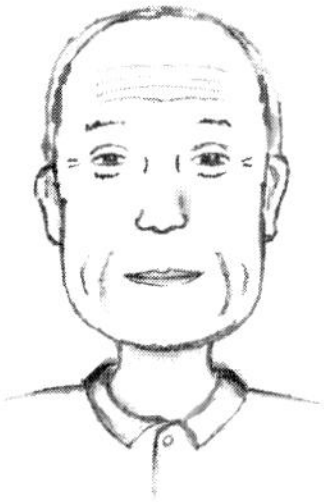

ボクといっしょの父ちゃん

ボクといっしょの母ちゃん

近くに住んでいる兄ちゃん

遠くにお嫁にいった秀代《ひでよ》ちゃん

ボクがここにくるまで

ボクは今、父ちゃんと母ちゃんと三人で暮らしている。この家の縁側で毛づくろいをしたり、父ちゃんと母ちゃんの話を聞きながら居眠りをするのが日課なのだ。ボクはそんないつもの毎日が大好きだ。

「タマ〜、タ〜マやぁ〜」

また母ちゃんが呼んでいる。ボクは陽だまりの暖かい箱の中でくつろいでいたのに、仕方がないから母ちゃんの呼ぶ方へノコノコ歩いた。

母ちゃんは縁側に腰かけて、イリコをくれるふりをした。いつものことだ。ちょっとだけ母ちゃんのそばで毛づくろいをしたり爪を研いだりして、いつものようにお愛想。仕留めた獲物でお腹はいっぱいだし、陽ざしは暖かいしボクはとにかく眠たいんだ。

ボクはこの家に来る前、どこに居たのか覚えていない。小さな部屋の中で生活していたような気もするけど思い出せないんだ。

気がついたら、大きな山の中のバイパスの側溝の脇に居た。昼間だったけど、山の中は薄暗く静かだった。ボクは一人ぼっちでとても淋しかった。

車がものすごいスピードで走るバイパスを避けて、狭くて薄暗い坂道を下へ下へと歩いた。どのくらい歩いたんだろう。やっと大きな山から抜け出して開けた明るいところに出た。山と山との間に、家がポツリポツリあるのが見えて見晴らしもよかった。上を見上げたら空が赤く染まっていた。日が落ちて少しずつ体が冷えてくる。どこか暖かいところはないか探していた。見えている家は塀が高くボクが入れる隙間などなかった。ボクはまた下へ下へと歩いて小川のほとりに出た。橋を渡り小川に沿ってしばらく歩いた。そのうち山の上の方に畑があり、一軒の大きな家があるのが見えた。

ボクは小さな体で遠くまで歩いてきたからとても疲れていた。何も食べていなかったし、歩き通しだったので、身体はフラフラでヨロヨロだった。最後の力をふり絞ってその家を目指して今度は登り坂を上へ上へと歩いた。

暗くなるまでにやっとこの家に辿りついた。この家には高い塀もなく、縁側もむき出しになっていたので、ボクの眠る所がどこかにありそうな気がした。

季節は九月の初め頃だったけど、山に囲まれたこの辺りはとても寒かった。ボクは疲れ果てて体力もなくなり、どこか暖かいところはないかと軒下をヨロヨロ歩いていた。そして風呂の焚口を見つけたのだ。この家では薪で風呂を沸かすようになっているようだ。焚き終わった後の焚口に入ったら、そこはとても暖かかった。ボクはほっとして、ここで一夜を過ごすことに決めた。後でわかったことだけど、このとき、ボクの口髭も眉毛も焼けてなくなったらしい。

家の中からは話し声が聞こえていた。人が二人くらいは居そうな気配がしていた。テレビの音も聞こえていた。ボクは黙って静かにしていた。

父ちゃんと母ちゃんとの出会い

次の日の朝は雨がザーザー降っていた。この家の二人が外に出てきて、縁側で何やらボソボソ話していた。後にボクが一緒に住むことになる父ちゃんと母ちゃんだ。

ボクは遠慮がちに「ニャー、ニャー」と鳴いてみた。すると父ちゃんが「おい、猫がおるど」と言い、母ちゃんが辺りをきょろきょろ見回し、風呂の焚口を覗いた。ボクと目が合った。

ボクは見つけてくれた嬉しさと怖いのとで目を丸くした。

母ちゃんは「仔猫じゃが、おいで」と手を出してくれたが出られなかった。そんなボクを二人はそっとしておいてくれた。

その日ボクは、雨が降っていてどこにも行けなかったので、一日中風呂の焚口の中で過ごした。父ちゃんが裂きイカをくれたので食べた。

そのうち夕方になり、父ちゃんが風呂を焚く準備を始めた。ライターで新聞紙に火をつけたので、ボクはびっくりして焚口から飛びだした。

出かけていた母ちゃんも帰ってきて、ボクのためにから揚げを一つ入れ物に入れてくれた。ボクはそれを口にくわえて、ちょっと離れた所へ持って行って食べた。おいしかったかどうかよく覚えていない。屋根から落ちてきた雨水も飲んだ。

二人との生活の始まり

ボクがから揚げを食べている頃、この家の長女で、今は北海道にいる娘の秀代ちゃんから電話がかかってきた。

母ちゃんはボクが迷い込んで来ていることを、秀代ちゃんに話したようだ。そしたら、秀代ちゃんは「飼やーええが」と勧めてくれたらしい。その一言で父ちゃんはボクを飼うことを決めた。でも母ちゃんは「猫がおったら部屋が汚れるけーいけん」と乗り気ではなかった。

この辺りは町中と違いアスファルトなど少しもない。周囲は畑と田んぼばかり。だからボクが家の外を歩いた足で家の中に入って毛づくろいすると、土やゴミがいっぱい落ちる。母ちゃんは掃除が大変になるからと渋っていたのだ。

「軒下で飼やーええが」と秀代ちゃんが言ってくれたので、母ちゃんは渋々納得した。ボクは秀代ちゃんのおかげで命拾いしたのだ。秀代ちゃんはボクの命の恩人なのだ。

秀代ちゃんに言われたとおり、母ちゃんがダンボールの箱にバスタオルを敷いてくれた。ボクはその日の夜、久しぶりに安心してその箱の中で眠った。風呂の焚口は、ふたを閉められ入れなかった。

次の日の朝ご飯、母ちゃんは、白いご飯に缶詰の汁をかけてくれた。この家には猫のエサ

などなかった。ボクはこの家に来て初めてご飯をもらって食べた。おいしかったので、あっという間に食べてしまった。

あれはボクがこの家へ来て二日目か三日目のことだったと思う。ご飯をもらってたくさん食べて満足したら、急にお母さんが恋しくなった。

ボクはさみしくてさみしくてたまらなくなり、思いっきり大きな声でお母さんを呼んだ。何回も何回も大きな声で呼んだが、いくら呼んでもお母さんは迎えに来てくれなかった。

ボクは不安で悲しくて悲しくて、また何度も何度も呼んだ。ずっとずっと昼も夜も呼び続けた。

「まあ、よー鳴く猫じゃなあ。声がかれてしもうとるが」と母ちゃんが言っていたのを思い出した。

こうしてボクは、このうちにおいてもらうことになり、軒下生活が始まった。

ボクはこの時、これから先ずーっと父ちゃんと母ちゃんと一緒に居ようと幼いながらに心に決めた。これはボクが生まれて三か月くらい経った頃のことだと思う。あの時のことは今でも忘れることはできない。でも軒下で生活したのはほんの少しの間だけで、ボクは今では家の中へ好き勝手に入り放題だ。掃除が大変になると渋っていた母ちゃんも、今では目を細めてボクをかわいがってくれる。

この家のこと

この家は、父ちゃんと母ちゃんの二人住まい。多分二人の年齢は八十歳前後。今は畑を耕し野菜を作って二人で仲良く暮らしている。二人の子どもがいるが、息子の兄ちゃんは同じ町内で暮らし、ボクの命の恩人である娘の秀代ちゃんはここから遠くにある北海道というところにお嫁に行っている。

うちの周りは田んぼと畑、山に囲まれていて近所は見えない。耳を澄ますと風が木の葉を揺らす音、小川の音、鳥のさえずりが聞こえ、時間がゆっくりと流れている。父ちゃんと母ちゃんはいつも同じ時間に起きて同じような毎日を過ごす。そこにボクがやってきたのだ。

四十年くらい前に、この家では三毛猫が飼われていた。身体は真っ白で、所々に黒い毛と茶色の毛が少し混ざっていた。それで『ミケ』と名付けられ、みんなからかわいがられていたボクの先輩猫なのだ。

ミケ先輩はいつも一人ぼっちだった。兄ちゃんや秀代ちゃんは学校へ行っていていなかったし、父ちゃんと母ちゃんは仕事に出かけていていつも留守だった。きっと淋しい思いをしていただろうと思う。

その点ボクは、いつも父ちゃんと一緒で、どこへでもついていくのだ。母ちゃんはおやつをくれたり、話しかけてくれたりする。だからボクは淋しくないから、ミケ先輩よりは幸せかもしれない。少々、うっとうしいときもあるが……。

ボクを飼うという「決断」

山奥の人影も見えない山の中に、幼いボクをまるでゴミでも捨てるようにポイと置き去りにして行った人の事が、母ちゃんはこの頃とても気になるらしい。その人は今どこで何をしているのだろうか。

人間とはそういう身勝手な生き物らしい。ボクのお母さんはボクが居なくなって探してくれたかな。ボクだってずっとお母さんと居たかった。

母ちゃんはボクを置き去りにした人が許せないらしい。母ちゃんはボクが小さな体で、ここまでやってきたことを思い出すたびにとても悲しい顔をする。そして小さい頃の兄ちゃんや秀代ちゃんにしてあげたように温かい手で優しく撫でてくれる。

父ちゃんも母ちゃんもミケ先輩が居なくなった後、生き物を飼うことをやめた。生き物を飼えばいつかは死んでしまうし、こんな田舎では病気になっても病院に連れて行くこともできない。年寄り二人では、生き物を飼う責任を果たし、十分に面倒を見ることもできそうになかったからだ。

ボクが来たときも、父ちゃんと母ちゃんの決心が固まるには、少し時間がかかった。それまで軒下でご飯をもらっていた。

「入ったらいけんで」と言う父ちゃんのことばに、戸が開いていても中に入らなかった。小さな体でちょこんと入口に座り、じっとしていた。どうして中に入れないのか、その時のボクにはわからなかった。だけど、入口に座るボクを見て、父ちゃんも母ちゃんも、悲しく愛おしい眼でボクを見ていたのをボクは知っている。

でも今では、ボクはこの家の立派な家族だから、ちょっとでも姿が見えなくなると、父ちゃんも母ちゃんも淋しがる。母ちゃんは、淋しくなったとき、向こうの田んぼの方を向いて「タマちゃーん、タマちゃーんおやつ」とボクを呼ぶ。ボクはどこに居ても耳がいいから、ものすごいスピードで駆けて帰ってくる。そしておやつを貰って食べる。母ちゃんからもらうおやつはおいしい。まだまだ欲しいと母ちゃんの手にボクの手を乗せておねだりすると、母ちゃんは幸せそうな顔でボクを見ている。そのときボクは幸せを一人占めにしていた。

ボクの名前

この家に来たとき、ボクは男の子か女の子か自分でもよくわからなかった。父ちゃんは女の子だと言っていた。母ちゃんは、男の子のような気がするなどと言っていた。ボクは不安でいっぱいで、いつもシッポを下げていた。毎日おいしいご飯を母ちゃんが作ってくれるので、これからずーっとこの家にいられると確信したとき、安心してボクの折れ曲がったシッポをピーンと立てて、颯爽と歩いた。それで「男の子じゃが」と母ちゃんが教えてくれた。ボクは男の子なのだ。男として凛として生きていかなければいけないのだ。

ボクには贅沢に名前が二つある。父ちゃんはボクのことを『フー』と呼ぶ。『フー』とはフジ猫の省略で、二色の毛が縞々に生えている猫のことをフジ猫と言っているらしい。でもボクの毛は二色ではない。白い毛のところが一番多く、薄い茶色と黒い毛の三色なのだ。

一方母ちゃんは、ボクのことを『タマ』と呼ぶ。『タマ』とは二色の毛の模様がハッキリしているのを指すらしい。でもボクの毛は二色ではない。もう一度言うけど三色なのだ。腹から足にかけては真っ白い毛に覆われている。背中から横腹にかけて薄茶色の地に黒い毛が丸い玉模様に生えていて、その玉模様から『タマ』と母ちゃんは呼んでいる。

『フー』と呼ばれても『タマ』と呼ばれても一応返事はするが、ボクはあまり名前のことなど興味はない。二人が呼びやすいよう呼んでくれたらそれでいい。

ウンチ

ボクはこの家に来て軒下で生活するようになったとき面食らった。外庭は広くて長い。家は広くて古くてボロボロで、無駄に大きい気がする。だからウンチもどこでしたらいいかわからなかった。外庭からは出られないと思っていたので、長屋の裏から、母屋の裏、離れの裏の軒下へウンチをした。

あの日ボクは何日間か何も食べていなかったのに、久しぶりにご飯をもらったので、すっかり消化不良を起こして下痢になってしまった。そのとき、母ちゃんはボクの前足と後ろ足を二本ずつ両手でつかみ、ボクが身動きできないようにして便のところに連れて行き、「こげ《こん》

ん所《なところ》へしたらいけまー」と鼻を便に近づけ、こっぴどく叱った。ボクは逃げようにも身動きできないので、されるがままに身をまかせるほかなかった。それからというものボクは大きな畑を通り抜け、溝を渡って遠くのほうへ出かけてウンチをした。でもときどき忘れて家の裏にして、また同じようにこっぴどく叱られた。

この頃は遠出をするようになったので、どこでウンチをしたか母ちゃんは知らない。でも雨の日はちょっと遠すぎてつらいのだ。この間、小雨のなか遠くまでウンチに行ったら体が濡れた。母ちゃんは濡れていた体を撫でてくれ、「よぉできたなぁ」、「タマえらい、えらい」と感動していた。そしてまたタオルで体を拭いてくれた。

兄ちゃんのご機嫌取り

今日、ボクたちの家に兄ちゃんが帰ってきた。兄ちゃんと会うのは二度目らしいが初めて会ったときのことは覚えていない。兄ちゃんは、秀代ちゃんの兄ちゃんで歳は五十をちょっと過ぎている。この家の長男で、父ちゃんにそっくりな顔をしている。同じ町内だけど少し離れたところで一人暮らししている。

兄ちゃんは今日、母ちゃんが頼んでくれたボクの電気座布団を買ってきてくれた。おまけにねこじゃらしやマタタビまで買ってきた。キャットフードやイリコもだ。ボクのことを「捨てー、捨てー」と言っていた兄ちゃんなのに、ボクの機嫌を取ろうとキャットフードをくれた。

「そがぁーな物やったらご飯を食わんようになるけぇいけん」と母ちゃん。

「ときどきやりやーえんじゃ《あげればいい》」と言いながら兄ちゃんは、ねこじゃらしにマタタビの粉をつけてボクの前につき出した。ボクはびっくりしてプイと横を向いた。マタタビの匂いがきつかった。百円ショップで買ったらしい。ボクには初めての匂いだったが合わなかった。

その日は一日中、兄ちゃんはボクの機嫌を取るためにイリコやカリカリを度々くれたので、お腹が膨らんで初めてご飯を残した。ボクはそれまでご飯を残したことがない。いつも母ちゃんがご飯を少し湿らせて、それにかつおの粉を全体にまぶしてよく混ぜてくれるから、ボクは残さず食べた。

いい匂いのせいで……

まだボクが軒下で生活していた頃のこと。ボクは母ちゃんに叱られた。ものすごく怒っていた。だって母ちゃんが夕方ご飯を作っているときにすごくいい匂いがしたから、ボクはたまらなくなって土間に入りゴミ箱をあさり、ひっくり返してしまったのだ。ゴミがバラバラに散らかって大変なことになってしまった。母ちゃんはボクの首根っこを掴んでぶら下げてお尻をペンペンした。痛かったけど身動きができないのでボクはじっと我慢していた。母ちゃんはあまりボクを叱らない。叱られたのはウンチの失敗以来だった。ボクは怖かった。だからボクは当分の間土間には入らないように遠慮していた。ときどき母ちゃんの顔色を伺って横目で母ちゃんを見た。すぐに優しい母ちゃんに戻っていたが、ボクは次の日も土間に入るのを遠慮した。

町へ出かけた後

今日ボクはなぜか一人だった。淋しかった。母ちゃんと兄ちゃんは朝七時頃出かけた。父ちゃんは八時頃草刈り機を担いで出かけた。ボクは自由気ままに家の周りを歩き廻り、縁側で日向ぼっこをしたり、ボクのお気に入りの場所でのんびり過ごしてみんなの帰りを待っていた。

十二時頃母ちゃんと兄ちゃんが荷物をいっぱい持って帰ってきた。兄ちゃんは母ちゃんを病院へ連れて行ったらしい。それで久しぶりに町へ出たので買い物をたくさんして帰ってきたのだ。あの荷物の中にボクの大好きなケーキやカリカリはあるかな～。

母ちゃんは帰ってくるとすぐに一番先にボクと遊んだ。いつものようにボクを思いっきり玩具にした。「仕方ねぇなぁ～いうような顔をしとるで」と兄ちゃんが母ちゃんに言った。兄ちゃんはボクの気持ちがよくわかっている。まったくその通りなのだ。

ボクは何かおいしいものをもらえるかもしれないので、じっと我慢して、されるがままになっていたのだ。しばらく遊んだ後、母ちゃんは昼ごはんを作らなくてはいけないのでボクと遊ぶのをやめて、おやつのカリカリをくれた。

ボクの食生活

ボクはこの家に来てからすごく大きくなった。まだ二か月も経っていない頃に「来たときより一・五倍くれー《くらい》大きゅう《おおきく》なっとるが」と母ちゃんは言っていた。この頃父ちゃんの足音と母ちゃんの足音を聞き分けられるようになっていた。

父ちゃんが朝起き出したら、ボクも慌てて寝床から出てすわって父ちゃんを待つ。今日はソーセージだろうか、イリコだろうかと、何かくれるのを期待して待っているのだ。

母ちゃんは決まった時間に、おいしいご飯とおやつをくれる。ボクは時間が近づくとちゃんとすわって待っているのだ。

ついて行きたい

今日は朝早くから父ちゃんがどこかへ出かけるらしい。よその家から仕事を頼まれたのだろうか。忙しそうにしている。ボクもついて行きたい。父ちゃんが出かけた。ボクは慌てて父ちゃんの後ろをトコトコついて歩いた。

畑のほとりの道をまっすぐ歩いて、そこから今度は下のほうへ下りて行こうとした。そしたら父ちゃんは「来たらいけん、帰っとれ」と言った。でもボクは行きたい。

父ちゃんは一度家へ戻り、ボクの大好きなイリコ二匹をご飯の入れ物に入れてくれた。ボクがそれを食べている間に父ちゃんは行ってしまった。ボクも行きたかったな〜。イリコに負けてしまったのだ。悔しい〜。

その日父ちゃんは晩方帰ってきた。疲れているようだった。でもボクを見てニコニコしながら話しかけて頭を撫でてくれた。ボクはすごくうれしかった。

大好物のロールケーキ

母ちゃんが縁側に腰かけて何かおいしいものを食べ始めた。ボクは見逃さなかった。早く行かないとなくなる。

ボクは慌てて縁側に飛び上がった。母ちゃんの膝の上に前足をかけて「ニャ〜オニャ〜オ」と甘えた。母ちゃんはうれしそうに少しくれた。それはロールケーキというお菓子だった。ボクはスポンジの所よりもクリームの所が大好きだ。母ちゃんはよく知っている。おいしいものを食べるときは、一人よりもボクと一緒のほうがずっとおいしいらしい。ボクはあっという間に食べて、まだ欲しいとねだった。また少しくれた。気がついたときは母ちゃんは全部食べていた。

ボクはまだまだ食べたい。もっともっと欲しい。でもボクの体のことをいつも気にしてくれている。下痢をしたり、メタボになったりするといけないので、我慢しなければならないのだ。

狩り

「タマや〜、ご飯でー」母ちゃんが呼んでいる。何回も何回も呼んでいる。でもボクは今、獲物を狙っている最中なので返事ができない。母ちゃんは心配して家の周りを探し回っている。「タマ〜、ご飯で〜」また聞こえてくる。しばらくすると諦めたのか母ちゃんと父ちゃんは家の中で食事を始めた。

ボクは獲物を捕まえて家に帰り、母ちゃんに見てもらおうと思って「ニャ〜」と鳴いたが、母ちゃんは耳が遠いので聞こえない。ボクのお皿にご飯が入っていたので、ボクはご飯と獲物を食べてしまった。内臓だけをお皿に残しておいた。

母ちゃんがボクを見つけて「ご飯食べた？」と声をかけてくれた。ボクの腹を見て「何食べたん、腹大きいが」と腹を撫でてくれた。内臓を見ても何を食べたか母ちゃんは知らない。内臓を捨ててお皿を洗ってくれた。「何食べたか教えて〜」と母ちゃんは聞くが、ボクは毛づくろいに一生懸命なのだ。

くつろぎの場所

「タマやぁ～、タマー」また母ちゃんが呼んでいる。母ちゃんは、家の周りを西から東の方へ歩きながらずーっとボクを探し回っている。今日は天気がよくて暖かいので、ボクはあちこち散歩していた。ときどき狩りもしたり、日向で寝転んで毛づくろいをしたり、のんびりとくつろいでいた。

母ちゃんの知らないボクのくつろぎの場所が一か所増えたのだ。だから母ちゃんは必死で探し回っているのだ。母ちゃんが東の方に行っている間に帰ってきて、ボクになにか用事でもあるのかと入口のところにすわって待っていた。すると母ちゃんがボクに近づいてきて「タマ、どこに行っとったん、探したんで」と優しく頭を撫でてくれた。「なー《な》も《に》ねえのに呼んでごめんよ～」と言っている。

木片と母ちゃんの思い出

母ちゃんが縁側で縫い物を始めた。母ちゃんはときどき糸の巻かれた古い木片をじっと見ている。それは何十年も前に母ちゃんのお母さんが使っていたものらしい。母ちゃんはきっとお母さんを思い出しているんだと思う。母ちゃんはその後ボクを優しく撫でてくれる。

縫い物を始めるとボクのことはほったらかしで忙しいらしい。母ちゃんが忙しいとき、ボクは暇だ。天気もいいし、ボクは散歩に出かけた。

ボクはこの家が、どこからどこまでなのかまだよく知らない。畑も広いようだし、草だらけのようなところもある。散歩をかねてあちこち見て廻ろうと思う。散歩から帰ったら、「夕マ、どこ行っとったん、さみしかったで」と母ちゃんは声をかけてくれると思う。

美男子⁉

父ちゃんがボクに近寄ってきてやさしく背中を撫でて、それから顎の下を掻いてくれて、「フーの口髭がでぇーぶ《だいぶ》伸びたのー」と言ってくれた。父ちゃんはボクによく話しかけてくる。ボクの髭がなくなったのは、この家に迷い込んだ日、寒い夜だったので風呂の焚口の中に入ったかららしい。風呂を焚き終わってまだ間がなかったので、口髭や眉毛が熱くて焼けてしまったようだ。ボクにはよくわからない。とにかく口髭も眉毛も全部なくなってしまっていたらしい。

「だいぶん生えて長ごう《ながく》なっとるで」と母ちゃんが言ってくれた。これで少しは美男子に見えるかな～。ボクはイケメンとまでは言わないけど、自分で言うのも何だが、まぁまぁいい線いっていると思っているんだ。

父ちゃんの自慢

父ちゃんが家の上の方の畑で仕事をしていた。ボクは、天気もいいし散歩がてら父ちゃんの仕事場までノコノコ行ってみた。

父ちゃんは一生懸命仕事をしていてボクに気づかない。ボクは「ニャー」と鳴いてみた。父ちゃんが気がついてくれてボクの方を振り返り、うれしそうに体を撫でて話しかけてくれ

た。ちょっとだけ相手にしてくれてから、また仕事を始めた。

父ちゃんはがんばっているのだ。夜になって「今日フーがわしの仕事をしょーる《している》とけー《ところに》来たんで」と母ちゃんに自慢しているのを聞いた。

夜更かし

夕べボクは遅くまで狩りをしていた。いつもは夕ご飯を食べたらすぐ寝床に入ったり、一時間くらい散歩や狩りなどをするが、夕べは十二時過ぎても帰らなかった。ボクは大人になったのだ。

母ちゃんが夜十時頃、ボクの寝床を覗いたらしいがいなかった。それを聞いて心配した父ちゃんが、十二時過ぎにボクを探しに家の東の畑の方から西の畑の方まで探しまわってくれたらしい。

ボクは西の方の、家の上の方の野原で狩りをしていた。父ちゃんが「フーや、はよー《早く》帰らにゃーいけんが」と呼んでくれた声が聞こえたのでようやく家に帰った。

ボクが寝床に入ったのを見届けに出てきた母ちゃんが体を撫でてくれた。ボクの姿を見て、二人とも安心して眠ってくれた。父ちゃん、母ちゃんおやすみと言いながらボクも寝た。

次の朝早く、母ちゃんがボクの寝床を覗きに来た。ボクはもう起きていた。縁側にすわって、母ちゃんたちが起きてくるのを待っていたのだ。

母ちゃんのいたずら

母ちゃんは暖かい縁側でよく縫い物をしている。そういう時、ボクが近づいてもちょっかいを出さない。一心不乱に縫い物をしているので、ボクもじゃまをしないように、傍らでゆったりと寝そべっている。

ある日、日向で寝そべっていたら、母ちゃんが近づいてきてボクを撫でてくれた。ボクがグーッと伸びをして大きな口を開けてあくびをしたら、母ちゃんは手の指をボクの口の中に挟んだ。ボクは口が閉じられなくなり、ビックリして目をパチクリさせた。その顔がおかしかったのか、母ちゃんは大声で笑い出し、ずーっとずーっと笑っていた。母ちゃんはひょうきんで、いたずらが大好きなのだ。ボクにとってはいい迷惑なのだ。でも母ちゃんはまだ笑っている。

ミケ先輩とボクの共通点

ボクのシッポは、真ん中から半分に醜く折れ曲がっている。どうしてこんなに曲がったのかボクは知らない。それでもボクにとっては大事なシッポだから、手入れはきちんとしている。

むかしこの家で飼われていたミケ先輩のシッポは、真っ直ぐで長くてきれいな自慢のシッポだったらしい。

ミケ先輩は秀代ちゃんが小さい頃、近所の家から貰ってきて、この家の家族になったらしい。秀代ちゃんが小さい頃、学校から帰った時、一人ぼっちは淋しかろうと飼われたようだ。だからミケ先輩と秀代ちゃんは、姉妹か友達のような関係だったようだ。秀代ちゃんはミケ先輩のことをとても頼りにしていたらしい。今の父ちゃんと母ちゃんがボクのことを頼りにしているように。

「タマが来てくれて本当によかった」と、秀代ちゃんは電話で言っているらしい。父ちゃんと母ちゃんは、今は元気で畑仕事や家事などなんでも自分たちでやっている。でも父ちゃんは八十ちょっと過ぎ、母ちゃんは七十半ばで、どちらもいいおじいちゃんとおばあちゃんなのだ。だからボクは、これからもずっと二人といっしょにいるのだ。

ミケ先輩は身体も白い毛のところがほとんどで、黒と茶色が少し混ざっていて、それでミケと呼ばれていてとても美人猫だったらしい。身体が白いので、遠くからでも目立ってどこにいるかすぐにわかったようだ。その点ボクは、背中のほうは薄茶色に黒、顎から腹・脚にかけて白い毛が生えている。その白い毛のおかげで、兄ちゃんが「思ったよりきれいな猫じゃが」と言ってくれた。「思ったより」は一言多い気はするけど……。

母ちゃんはボクをよく探す。背中が黒っぽいので見つけづらく、じっとしているとわからないらしい。きょろきょろしながらボクを探している母ちゃんの様子はちょっと笑える。ボクは「ニャー」と鳴いてみるが、母ちゃんは耳が遠いので聞こえない。仕方がないので、ボクは母ちゃんの足元へトコトコ歩み寄る。すると母ちゃんはうれしそうにボクの頭を撫でてくれる。あまり探させるのも悪いから、ボクは今度から、母ちゃんがよく見える風呂場の前の日当たりのよい所で日向ぼっこをすることにした。

ボクのルーツ

ボクはこの頃体格がすごくよくなって貫禄が出てきた。

「タマ大きゅーなったなぁー、小さい頃はかわいかったのに」と母ちゃんはよく言うようになった。

ボクは大きい種類の猫かもしれない。母ちゃんがテレビを観ていたら、ボクと同じ毛の模様をした猫が出ていた。そしてその猫は、他の猫よりも一回り体が大きかった。その上、気が強い猫だとテレビが言っていた。ボクは体も大きいし気も強い。母ちゃんがちょっかい出してくるといつも爪を出して攻撃するのだ。

母ちゃんはボクが可愛くてしょうがないらしく、いつも追いかけてきて、シッポを掴んで逃げられなくするのだ。でもボクはスルリスルリと身をかわして、なかなか掴まらないのだ。

気が強いから優しく抱かれたりなどしない。

テレビの中の猫は、体中同じ模様の毛だったらしいが、ボクはもちろん同じではない。だから捨てられたのかもしれないと母ちゃんは思っているようだ。顎から腹・脚にかけては真っ白なきれいな長い毛が生えている。背中と横腹のほうだけテレビの中の猫と同じ模様なのだ。背中のほうは薄茶色の地色に、黒い毛が丸い模様に生えていて、ベンガルという猫に似た模様だ。体格のいいところと気の強いところも似ているようだ。こうなるとボクを産んでくれたお母さんに会ってみたい。ものすごく興味がわいてきた。でも会えることは絶対にないのだ……。なぜって、それはボクがどこから来たかわからないからなんだ。

友だち？　彼女？

今日ボクのところにお友だちが訪ねてきた。この辺で今までお友だちを見かけたことはなかった。だからお友だちの顔を初めて見たのだ。ボクと同じような仄黒い毛の色をしていた。知らない猫の声がしたので、父ちゃんたちが出てきた。その頃には、お友だちは家の上の方にある竹藪の中へもう逃げ出していた。ボクは後を追いかけて行った。でも途中で見失ってしまい帰ってきた。そしたら母ちゃんが「タマ、彼女にフラレたんか」と言った。

ボクはこんな経験は初めてだったのでよくわからなかった。

父ちゃんとの会話

父ちゃんが畑作業から帰ってきた。ボクは父ちゃんの足元にすり寄って、「ニャー」と鳴いた。父ちゃんは「よちよち」と、言いながらボクの背中を撫でてくれた。ボクの大好きなイリコをくれる。そしていろいろなことを話しかけてくれる。ボクは父ちゃんが大好きだから、父ちゃんの行くほうへついて歩くのだ。

「ニャーオ」「うん?」「ニャオーン」「うーん」「ニャァー」「うんうん」

これでボクと父ちゃんの会話は成立するのだ。

畑と野菜

ある日、ボクは日向ぼっこをしながら母ちゃんを離れた所から眺めていた。しばらくすると洗濯が終わり、母ちゃんは着替えを始めた。作業着を着ている。帽子をかぶりボクのほうを向いて「おいで」と言った。ボクは聞こえないふりをして、毛づくろいを懸命にしていた。母ちゃんは行ってしまったので、ボクは外庭の庭先から石垣の下を覗いてみた。高い石垣なのだ。三メートルくらいはあるだろうか。その石垣は庭に沿って二〇メートルくらいは続いている。その石垣の下に畑が広がっている。見渡す限り、野菜が植えられているのだ。大豆・人参・ほうれん草やねぎなど。それらの真ん中あたりの空いた所に、母ちゃんは玉葱を

植えていた。

　父ちゃんが溝を作り、母ちゃんが玉葱の苗を並べていた。流れ作業だ。苗も自分たちで作ったらしい。よい苗から順に植えていき、七〇〇本くらい植えたと母ちゃんは言っていた。

　ボクは二人の所へ行こうと思い、回り道をしないで石垣を伝ってまっすぐ下りた。小さい頃は遠回りしてふつうの道を通っていたが、この頃は大人になって石垣でも土手でも平気で跳び越すことができるようになっている。「こりゃー、そがんとこー《そんなところを》下りたら危ねぇが」と父ちゃんが言った。母ちゃんも、ときどきボクのほうを見てうれしそうに仕事をしていた。

　家の周りの畑はぜんぶこの家のものらしい。年老いた二人には広すぎて全部耕すのは難しいので、家の近くの一部分一〇アールほどに、花や季節の野菜などを作っている。野菜がたくさんできるので二人では食べきれない。野菜を作っていない人や近所に配っているらしい。残りの畑は全部荒れていて、草がいっぱい生えている。だから春から夏にかけて雑草や茅などが生い茂り、父ちゃんは草刈りに大忙しなのだ。草刈り機を担いで出かけるので、ボクはいつも見送っている。父ちゃんが耕運機とか草刈り機を持って出かけるときは危ないからボクはついていかない。

母ちゃんからのお願い

　母ちゃんがボクにお願いがあると言う、何だろうか。ボクに聞ける事だろうか。

　ボクは一年中いつでも狩りに出かけているが、冬場はあまり収穫がない。だけど夏から秋にかけてはいろいろな獲物を捕まえて持って帰って、父ちゃんと母ちゃんに見せている。カエル・トカゲ・モグラ・地上に動くものは何でもすべてボクの標的だ。ヘビも三回か四回は捕まえてきた。最初二回くらいは小さなヘビだったが、三回目に捕まえてきたヘビはものすごく大きなヘビだった。大きなヘビを口いっぱいに銜えて、重かったけど勢いよく帰ってきた。「大きな獲物を仕留めたから見てくれ」と言わんばかりのドヤ顔で母ちゃんを見たと、後に母ちゃんが言っていた。

母ちゃんはびっくりしたのか、急に大きな声で「ワーッ」と叫んだので、ボクはその大きな声に驚いて、口に銜えていたヘビを畳の上に落としてしまった。母ちゃんは大きな声で「ギャーギャー」叫びながら逃げ回った。母ちゃんはヘビが大嫌いで怖いらしい。父ちゃんがすぐに火箸でヘビを掴んで捨てに行こうとした。ボクはせっかくの大物を捨てられてはたまらないので追いかけようとしたら、母ちゃんが自分の手でボクに目隠しをして何も見えなくなった。その間に父ちゃんはヘビを捨てに行ってしまった。ボクはしばらくの間、その辺りをクンクン嗅いで、獲物を探したが見つからなかった。せっかくボクががんばって大きな獲物を仕留めて、自慢するために持って帰ってきたのに、捨てるなんてひどい。ものすごく悔しい。ヘビは何の危害も与えないおとなしい生き物なのに、何であんなに怖がるんだろうか。その日は一日大さわぎだった。

ヘビの仲間で蝮にもボクはちょっかいを出したことがある。そしたら右の前足を噛まれてびっくりした。ものすごく痛かった。驚いた顔をして慌てて家に帰ってきて、母ちゃんの前で右手を上げて「ニャー」と今まで出したことのない大声で鳴いた。ものすごく痛いことを母ちゃんに知らせたかったのだ。母ちゃんはオロオロするばかりで何もできなかった。しばらくすると右手は倍くらいに腫れ上がり、肉球のところはグローブのように大きく広がり、怖いし痛かった。あれは午前中のことだったが、それから夕方までずっと寝ていて夕ご飯も食べられなかった。一晩眠ったら次の日の朝はご飯が食べられるまでに回復していた。

人間は大きな身体をしていても蝮に噛まれたら一週間くらいは入院するようだが、ボクは身体が小さいのに早く治るんだなぁ……。でも二〜三日はびっこを引いて歩いた。ヘビは蝮とほぼ同じ体形をしているけど、ヘビはおとなしいのに蝮は攻撃性があり猛毒も持っている。だから母ちゃんは「もう長いものには手を出したらいけんで」と言っている。

母ちゃんは「お願いじゃけぇ、もうヘビだけは捕まえて来んでぇ〜」と言う。他の事は何をしても可愛いタマちゃんのすることだから許せるから……とも言っている。でもボクは地上に動くものには何でも興味があって捕まえたくなるのだ。これがボクの本能なのだから……。だから母ちゃんのお願いは、ボクには無理かもしれない。

初雪

十二月中旬のある日の朝起きてボクはびっくりした。何事が起きたのかわからなかった。山も畑も庭も一面真っ白になっていた。それにものすごく寒い。ボクは寒いのは苦手なのだ。「まー真っ白じゃが、初雪じゃなー」と母ちゃんは寒そうに言っている。

雪というものが降ったらしい。ボクは生まれて初めて雪を見たのだ。山の木の枝にも積もっていた。ボクは寒くてどうにもできず、日当たりのよい縁側で丸くなって座り、じっと見つめていた。すると日当たりのよいところから、だんだんと白いものが消えてなくなっていった。とても不思議だった。だんだん暖かくなり、ボクはほっとした。

病気

寒さが厳しかったある日、ボクは体がだるくしんどかった。その日の夜は母ちゃんが用意してくれた夕ご飯がぜんぜん食べられなかった。

次の日の朝ご飯も食べられなかった。寝てばかりいた。でも一回は起きだして、水を飲んだりトイレをしたり畑のほうへも少しの間行ったりした。

「何も食わんと寝るばーしょーる《ねてばかりいる》」と父ちゃんが言っている。その次の日も何も食べられなかった。

病院へ連れて行きたいらしいが、病院は遠くて年寄りには無理らしい。父ちゃんと母ちゃんは代わる代わるボクの寝床を覗き込んで、ボクの体を撫でながら「フーや、元気出せよー」「タマ、ご飯食べーよ」と言ってくれる。

三日目にはもう起き出せなくなった。水だけ飲んで、また寝床に入った。母ちゃんが撫でてくれても目も開けられないし、頭も上げられなかった。ボクはしんどかった。「元気出せよー」何度も言ってくれる。

四日目は少し頭を上げたり目を開けたりできた。四日目の朝ご飯に、母ちゃんがおかゆを作ってくれて、ボクの寝床に入れてくれたが食べられなかった。夕方、猫用の缶詰を少しくれたがクンクンしてみただけで横を向いた。「タマ、元気出せよ」と涙声で母ちゃんは言う。水だけ少し飲んで寝るばかりした。

五日目も寝るばかりした。五日目の夕方、夕ご飯のおかずに母ちゃんが秋刀魚を焼きだした。そしたらあたり一面いい匂いが漂ってきて、ボクは思わず寝床から出てクンクンした。そして秋刀魚が入っていたトレーをペロペロした。それを見て母ちゃんが、これは何か食べられるのではないかと思ったらしく、缶詰の少し入った皿をボクの前に置いた。ボクはペロペロ食べた。父ちゃんと母ちゃんはすごく喜んでくれた。そして少しのおかゆに、缶詰を少し混ぜてくれたので、それも半分くらい食べた。

次の日の朝もおかゆに缶詰を混ぜた朝ご飯をくれた。少し多めだったがボクは全部食べた。父ちゃんも母ちゃんも「元気になってよかったのー」と喜んでくれた。ボクは元気が出たのだ。

父ちゃんと母ちゃんの愛情たっぷりのおかげ、そして秀代ちゃんが北海道から送ってくれた缶詰のおかげで、ボクはすっかり元気になったのだ。電話の向こうで秀代ちゃんも泣いていたらしい。

ボクは病気をしてから、少し甘えん坊になったと母ちゃんは言う。前は遠慮して座敷には上がらなかったが、今は炬燵の傍でくつろいだりしている。炬燵の中は熱すぎるので、外側の炬燵布団の上にすわっている。それを見て、父ちゃんも母ちゃんも目を細めて喜んでいるのだ。

でも今日は雨が降って足が泥んこになっているので炬燵布団の上に上がるのは遠慮した。

病気したおかげで……

ボクは病気をしてからすっかり痩せた。歩くのもフラフラしながら歩いた。でも今はふつうにご飯が食べられるようになったので、大分元通りになってきた。父ちゃんは何か悪いものを食うたんじゃろうと言うし、秀代ちゃんは風邪ひいたんじゃろうと言っている。今思えば、ボクの病気はやっぱり風邪だったように思う。あの頃はまだ、軒下で生活していた頃のことでまだ幼かった。

朝の気温がマイナス八度にもなる日もあった。ボクは当時まだ体が小さくて体力もなかったから。それ以降ボクは、居間の炬燵に入れてもらえるようになった。ボクの寝床も、居間の隅のテレビの横になった。今は体も大きくなり、もちろん体力もあるのだが。

この頃は、夕ご飯が終わるとすぐに中の間に入る。そこは父ちゃんと母ちゃんの寝室になっている。ボクは父ちゃんと母ちゃんの布団の上で寝ている。朝になると必ず母ちゃんは、「タマちゃん夕べ重かったで」とボクに言う。でもボクはそんなことは気にしていない。布団の上はふわふわしていて、暖かく気持ちよくぐっすり眠れる。ボクは布団の上が気に入っている。だからもう風邪などひかない。

朝方には、母ちゃんはボクを自分の布団の中に引っ張り込む。ボクは父ちゃんと母ちゃんの間に挟まって寝る。暖かすぎて布団から出たいけど、足を摑まれていて動けない。ボクは布団の上が好きなのに、まるで子どものように抱かれているのだ。わが子のように可愛がってくれるのは嬉しいが、ボクは少々うっとうしい。

朝の習慣

朝だ。まだ外は暗いが、父ちゃんは起き出した。実はボクが起こしたのだ。毎朝ほぼ同じ

時間に、父ちゃんの耳元で「ニャー」と鳴いて起こす。「うぅん」と寒いのでまだ起きない。十分くらい経ってまた「ニャー」と言うと、「うん！」と言ってやっと起き出すのだ。ボクもすかさずついて出る。

父ちゃんは居間の炬燵に電気を入れて、それから酒を沸かす準備をする。酒を沸かすポットに酒を入れてコードを挿すだけだ。それから昨日の夕ご飯の残りのおかずを戸棚から出してきてそれを肴にする。肴と言っても此処は山の中。魚などない。肉や魚は車で三十分くらいかけて町へ買い物に出なければならない。この家は裕福ではない。だから月に一回か二回くらいしか買い物に出ない。その時少々の肉や魚を買ってくるが、上等のものではなく肉は切り落とし、魚は秋刀魚、サバといった質素なものである。だから普段は野菜生活なのだ。だいたいうちで採れたもので、自給自足のような生活をしている。

父ちゃんは熱燗をチビリチビリとやり始める。酒が入り気持ちよくなってくると、肴やつまみの端のほうをボクにくれる。さっきから父ちゃんの横にぴったりくっついておとなしく座っていたのは、これを待っていたからだ。でもボクには食べられないものが多い。父ちゃんが肴にしているのは、白菜の漬物や大根の煮物などが多い。たまに猪の肉などくれるとボクは嬉しい。猪の肉は親戚から貰ったものだ。酒やビールが入り、ますます機嫌がよくなってくると、さきイカやイリコなどいろいろなものをボクにくれる。一杯飲み終わると、気持ちよくなったのか、そのまま炬燵で寝てしまう。だからボクもおしっこに行って来てから、テレビの横に置いてある自分の寝床に入るのだ。この頃になると母ちゃんが起き出してきて、ボクの頭を優しくそーっと撫でて、それから体の上に毛布をかけてくれるので、暖かく気持ちよく眠れる。電気座布団も入れてもらっている。昼前頃までそのまま居ることが多い。春、暖かくなるまではだいたいこのような生活が続きそうだ。

冬の狩り

今朝はものすごく寒かった。軒下の温度計がマイナス二・五度に下がっていたらしい。寒くて暗い中、ボクは狩りに出かけた。寒いのは苦手だが、暗いのは大丈夫なのだ。ボクはもう一人前のオトナなのだ。

母ちゃんが今朝方ボクの寝床を覗きに来たらしいが、その頃にはボクはもういなかった。母ちゃんはがっかりしてまた寝床に戻ったらしい。

ボクは田んぼに行った。そこは稲を刈り取った後に稲穂がこぼれていて、それをすずめが拾いに来るからだ。ボクは物陰でじっと待っている。明るくなると小鳥たちがやってきて、こぼれた稲穂を拾い始める。ボクは狙いを定めてぱっと飛びかかり仕留めるのだ。

こんな朝もあった。朝の気温はマイナス三度。

家の上に小さい祠があって神様が祭られている。その周りに南天や榊の木が大きくなっていて、実がたくさんついている。その木の実をいろいろな小鳥たちが食べにやってくる。ボクはその小鳥たちを狙う。寒くて冷たくてもジーッと我慢して待っている。そして狙いを定めて仕留める。

初めは失敗もたくさんあったが、このごろは上手になって何かしら仕留める、それをもて遊びゆっくり食べてから重い腹をヨタヨタ揺らしながら帰ってくると、母ちゃんは「タマ、何食べたん、腹大きいで」と声をかけてくれる。

「寒かったろう、ここへ入っとりー、ぬきーで《暖かいよ》」とボクの寝床へ押し込んでくれる。ボクはおいしいものを食べた後は、いつも毛づくろいを念入りにするのだが、それもしないまま寝床の中でじっと我慢をしていた。しばらくしてから母ちゃんは朝ごはんをくれた。

障子の穴

母ちゃんがすごく怒っていた。ボクが障子を破いて、穴を開けてしまったからだ。ボクは母ちゃんについて中の間に入ったが、母ちゃんはそれに気づかず自分だけ出て、障子を閉めてしまった。

ボクは出られなくなった。鳴いて知らせたが、母ちゃんは耳が遠いので聞こえない。仕方がないのでボクは障子に跳びついた。下から三段目のところに小さな穴を見つけたからだ。

そこはボクがまだ小さかった頃、今と同じように閉じ込められてしまったときに、ボクが出ようとして開けてしまった穴だった。

あの時はすぐに気づいて開けてくれたが、今日は違う。ぜんぜん気づいてくれない。

でもボクは外に出たい。父ちゃんも母ちゃんも外に居るから外に出たい。仕方なくボクは思いっきり勢いをつけて跳び上がり、下から三段目の穴に頭から突っ込んだ。そしてズボッと通り抜けて居間に出た。当然だが、障子の一角が破れて大きな穴になった。

その時母ちゃんが気づいてボクを捕まえようとしたが、ボクはすばやく逃げてしまった。

一時間くらいして、ボクはうっかり捕まってしまった。そして障子のところへ連れて行かれ、穴に頭を擦り付けて、「こがーな《こんな》穴を開けたらいけまー《だめでしょう》」とこっぴどく叱られた。ボクは足を掴まれていたので身動きできず、されるがままに我慢していた。

一通り叱った後放してくれたので、父ちゃんの傍へ助けを求めに近寄った。父ちゃんはボクの頭を撫でて、「よしよし」してくれた。ボクは父ちゃんの傍でさっきボクが破った障子の穴をじっと長く長く見ていた。

さっきボクが障子を破ったとき、すぐに叱れないで時間が経ってしまったので、叱っても効き目がないと母ちゃんは思ったらしいが、ボクはちゃんと反省していた。

ボクはこの家に来てから、のんびり穏やかな毎日を送っていたのでうっかり忘れていたが、ボクはこの家に貰われてきたのではない。自分からやってきて置いてもらっている身だ。だからいたずらばかりしていると、また前のように捨てられるかもしれない。危ない、危ない……。

でも父ちゃんも母ちゃんも優しいから、ボクを捨てるなんてことは絶対にしないし、ボクもこれからはいたずらしないよう心がけるからね。

父ちゃんも母ちゃんも、まだ障子の穴を修繕しない。しかしボクはその穴を通って出入りするようなことは二度としなかった。

～ボクのお母さん・前のご主人様へ～

ボクを産んでくれたお母さんは今どうしていますか。元気にしていますか。前のご主人様は元気にしていますか。

ボクを手放すにあたっては、よっぽどの事情があったと思うけれど、何はともあれ、ボクが小さな体でこの山奥の一軒家まで自力で歩いて辿り着けるまでに育ててくれたこと、心から感謝しています。おかげで今のボクがあるのです。今の優しい父ちゃんと母ちゃんにもめぐり逢えたのだから。

母ちゃんはボクの生い立ちを可哀想だと泣いてくれます。でもこの家に来る前のことはもう思い出したりしません。ボクは今とても幸せです。父ちゃん母ちゃんは、ボクにおいしいご飯やおやつをくれます。そしてよく遊んでくれたりします。

ボクはこの家で一生可愛がられて、父ちゃん、母ちゃんの心の支えになっていい子でいるように、ずっとずっとがんばって暮らしていきたいと思うのです。だからボクのことは心配しないでください。

お母さんも前のご主人様もどうぞ元気でいてください。

ボクがこの家に迷い込んできた当時のことを母ちゃんが詠んでくれた短歌《うた》

☆雨の朝かわい、仔猫迷い来ぬ
今は我が家の一員となる

☆わが家を選びて住みし迷いねこ
老いの二人も活気づきたり

☆足元にすり寄りあまえる愛しさに
日向でねこと遊び呆ける

☆陽だまりで毛づくろいして昼寝して
伸びと欠伸のタマの一日

☆捨てられて辿り着きたる幼きの
タマの生涯吾あずかりぬ

☆今日もまた夫《つま》の後追いトコトコと
タマはお供で仕事場へ行く

☆そばに寄り身体投げ出す愛猫の
背撫でやれば丸く居眠る

☆暑き日を草引き終えて縁側で
タマとおやつのくつろぎタイム

☆目覚めてはタマに行動見守られ
老いのひと日はタマに癒され

ボクのお願い

ボクは母ちゃんにお願いがある。ボクの前のご主人様、つまりボクを山奥に置いて行った人、あの人のことを母ちゃんは快く思っていない。でもあの人は悪い人じゃない。ボクが悪かったんだから。ボクがいい子にしていなくて、いたずらばかりする悪い子だったから、前のご主人様は思い余って仕方なく思い切って、山の中にボクを置き去りにして行ったんだ。だからあの人をあまり責めないで欲しい。少なくともボクを赤ちゃんから育ててくれた人だから……。

ボクは今幸せなんだ。ボクはこの家に来てからはいい子にして、父ちゃんと母ちゃんに気に入られようとがんばったよ。そして二人ともボクのことを気に入ってくれてものすごく可愛がってくれる。今ではもうメロメロだね。そして親バカぶりが半端なくいっそう激しくなって、もう止まらない！　どうしよう、これもボクが悪いんだろうか。

ボクからのお礼

春がやってきた。春は暖かいから好きだ。どこにいても日向ぼっこをしたり、昼寝をしたりのんびりできる。

それにいろいろな動物が活発に動き出す。こうなるとボクは狩りに忙しくなるのだ。いろいろな獲物を捕まえては家に持ち帰り、父ちゃんと母ちゃんに見てもらい誉めてもらいたいのだ。

前に母ちゃんが「ヘビだけは恐いから捕まえて来んでなぁ」とボクに言ったが、また大きなヘビを捕まえてしまった。家に持ち帰り、母ちゃんは恐がるから父ちゃんにあげた。母ちゃんにはネズミをあげるからね。これはボクからのお礼だよ。父ちゃんと母ちゃんは、いつもボクのことを優しく可愛がってくれるから。

この頃ボクは、父ちゃんがご飯を食べているとき、たいてい父ちゃんの膝の中に入っている。すると父ちゃんがご飯をボロボロと落とすので、それをボクが拾って食べる。もっといっぱい頂戴ね。

父ちゃんは美味しいおやつをくれるし、母ちゃんはおいしいご飯をくれる。だからボクはお返しがしたいと思っている。

ボクは少しでも大きい獲物を捕まえようとがんばって狩りに精を出している。そして父ちゃんと母ちゃんへのお礼にしたいと思って、家に持って帰る。その獲物で少し遊んだ後、よく見えるところに置いておく。父ちゃんと母ちゃんにあげようと思っているので、ボクは獲物を食べない。

二人が喜んでくれたらボクは嬉しいのだ。喜んでくれるかな……。

花畑の手入れ

今日は父ちゃんが一番下の畑で仕事をしている。外庭の石垣から下へ傾斜になっていて、五〇メートルくらい離れた一番下の畑だ。そこには花などが所狭しと植えられている。だから父ちゃんは手入れが大変なのだ。大きな枝垂れ桃の木があって、根元を囲むように直径五メートルくらいの円形に、いろいろな種類の水仙が植えられていて、その内側にサツキが同じように円形に植わっている。二〇メートルくらい離れて、これと同じものがもう一か所作ってある。これが満開のときは見事なまでに圧巻だ。

そう言えばこの間満開のときに、ちょうど兄ちゃんが帰って来ていて写真を撮っていた。その時ボクの写真も四~五枚くらい撮って、大きく引き伸ばして居間にカレンダーと一緒に掛けてある。

その畑の周囲は、一周一〇〇メートルは優に超える。その周囲全体にいろいろな種類の水仙がたくさん植えられ、他にも紫陽花、桜、椿、チューリップ、グラジオラス等あげればきりがない。母ちゃんはお華を活けるのが好きだから、一年中何かしらの花が咲いている。ボクは大きな枝垂れ桃の木に登り、枝に座ってゆっくりくつろいで、父ちゃんの仕事をしている姿を眺めるのが好きだ。

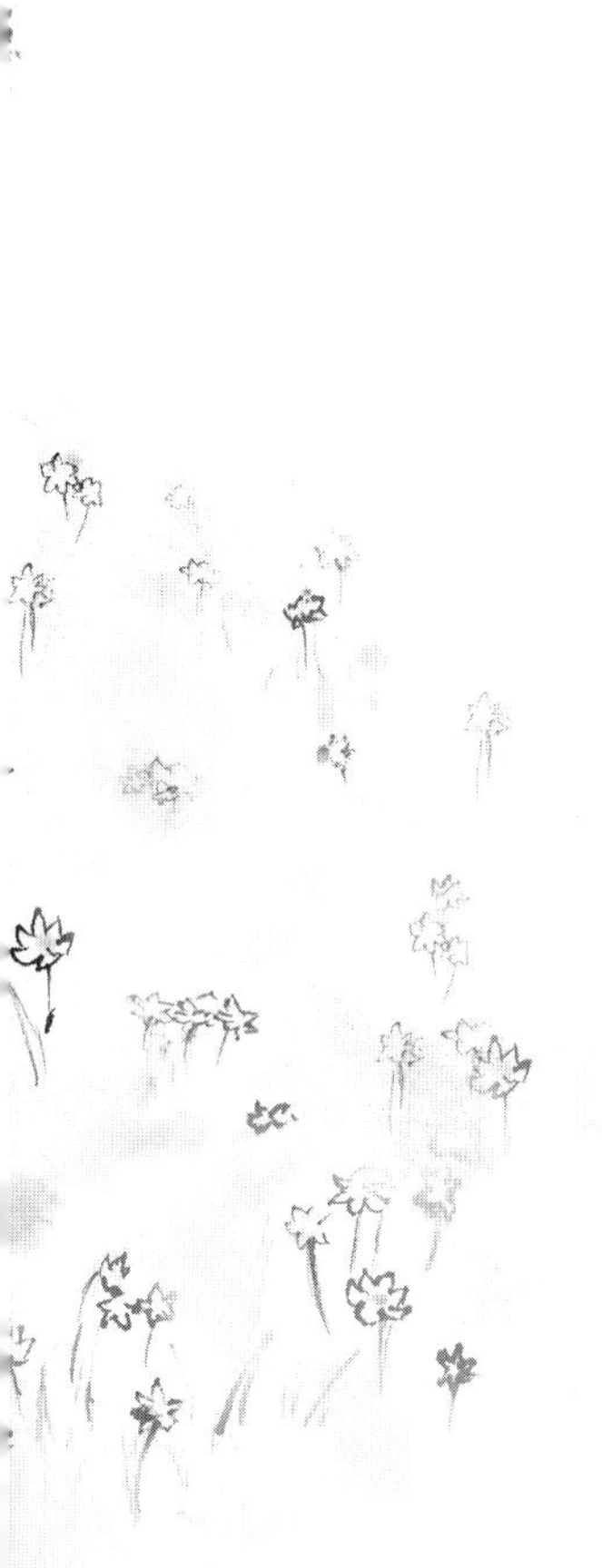

自由

うちの家の周りでお友だちを見かけることはほとんどない。そもそも家がないから当然だ。うちの家の裏を上へ上へと登り、小さい山を一つ越えたところに、立派なお屋敷があり、そこには犬も猫も飼われている。

犬はビーグル犬、猫は体中白くて長い毛に覆われていて、所々に黒と茶色の毛が混じっている、気品にあふれた上品な猫。種類は横文字だったが、忘れてしまったと母ちゃんは言っている。名前もボクのようにタマなんていう平凡な名前ではない。マロンちゃんという。首には金のネックレスなどつけてもらい、優雅な生活を送っているようだ。

マロンちゃんは、お屋敷の娘さんに飼われているお嬢様猫で箱入り娘なのだ。だから少しも外へは出ない。出してもらえないので、家の中で生活しているようだ。

ボクのように田んぼや畑を駆け回ったりするような事はしない。町内を月一回廻ってくる回覧板を届けに行っても、めったに会ったことはないと母ちゃんが言っていた。年一回か二回くらい、飼い主さんに抱っこされて出てきたところを見たことがあるらしい。

かわいいので母ちゃんが傍に近寄り撫でようとすると「シャー」と言って威嚇する。見た目に似合わない気の強さだ。マロンちゃんはたまに飼い主さんと散歩に出るらしいが、犬のようにリードをつけて散歩する。家の周りを一周するのに一時間も二時間もかかると飼い主さんが言っていた。猫は気まぐれで、犬のように早く歩かない。

散歩にはリードをつけられ家の中で大切に飼われている猫と、ボクのようにご飯とおやつだけを貰い自由気ままに生活している猫とどっちが幸せだろうか。猫でも犬でもペットはすべて飼い主さんの生活状況に左右され環境がすごく違ってくる。マロンちゃんはときどき体を洗ってもらうらしいが、猫は水が嫌いだから大変らしい。そんなときはマタタビを嗅いでリラックスしたところで洗ってもらうらしい。

ボクなど体を洗ってもらったことなど一度もない。母ちゃんがほぼ毎日ブラッシングしてくれる。自分でも毛づくろいは丹念にしているので、体はきれいでいつも毛はピカピカ光っている。

このお屋敷には、この他に軒下のあちらこちらに野良猫がいつも二〜三匹はいて、日向ぼっこをしている。この猫たちは山の上のほうの猫屋敷から逃げ出してきたらしい。このお屋敷のご主人は心が優しいから、ご飯をみんなに与えてくれるのでいつも待っている。猫屋敷では何十匹もいるので、ご飯が行き渡らないようだ。

野良猫がカリカリを貰って食べているのを見た。野良猫のうちの一匹とビーグル犬のココちゃんと仲良しになり、寝るときに同じ寝床で一緒に丸くなって寝ているところを見た。それにしても最近三匹の野良猫たちの姿を見かけないがどうしたのか気になる。

全身の毛は薄く抜け落ちて肌が見えるところもあり、足も細くヨロヨロと歩いているところを見かけたことがある。この冬はことのほか寒さが厳しかったからがんばれなかったのかな〜。

ボクは心配でたまらない。

盗人猫

「タマ、盗人猫したろう！」と母ちゃんが言っている。

突然そんなこと言われても、ボクには何のことかさっぱり見当がつかない。いつも棚の上に置いてあるボクのおやつの袋が破かれ、食い荒らされて半分くらいなくなり、あたり一面に粉々になったおやつが散らかっていた。ボクはそんな食べ方はしない。いつも母ちゃんから手渡しで貰うおやつは、きれいに食べる。あたりを汚したりなどしない。母ちゃんも少しおかしいとは思っていたようだ。

ボクはその夜、おやつを置いてある棚のあたりで、チョロチョロしている何者かを見つけた。おやつはもう別のところに母ちゃんが移動していたので無かったが、探している様子だった。ボクはそーっと近寄り、静かに狙いを定めてその時を待っていた。

そして、「今だ！」と思った瞬間にバサッと襲いかかった。こんなものを捕まえるのはお手のもの、得意中の得意、朝飯前なのだ。

泥棒の張本人を捕まえた。ボクがいるのにチョロチョロして、しかもおやつを横取りした上に、ボクに泥棒の濡れ衣を着せた、にっくき野郎、許せない鼠だ。

ボクは押さえ込んで放さなかった。しばらくの間、居間で鼠を追いかけて遊んだ。それでも父ちゃんも母ちゃんも起きないので、仕方なく寝室に鼠をくわえて入り、二人の枕元でドタンバタンと賑やかに鼠を放り投げたり転がしたりして遊んだ。

父ちゃんと母ちゃんが起きて、ボクの仕留めた鼠を見て、「おーおーよー取ったのぉ」と誉めてくれた。

やっと濡れ衣が晴れた。ボクはすっきりして嬉しかった。そしてその場でカリカリと音を立てて食べた。目の前の鼠を見て、母ちゃんは無惨だと思ったようだが、これも自然の摂理と納得せざるを得ない様子だった。

そして母ちゃんはボクが食べ残した頭としっぽと内臓を片づけて、畳についた血を拭き取り、掃除を済ませた。

これは夜中の二時から三時頃のできごとだったので、それからまたみんなで眠った。

そして二、三日後にもまた一匹仕留めた。鼠の夫婦を退治したことになる。だいたい雄猫は鼠を捕らないと聞いたことがあるが、ボクはちょいちょい捕ってくる。

これで鼠退治にも協力したことになるし、もうおやつを横取りされることもなくなり一石二鳥だ。

☆得意顔捕えしねずみ自慢げに
　転ばし投げて見せびらかして

☆カリカリと捕えしねずみ音立てて
　誇らしそうに目の前で食む

ボクは今

そんなこんなでこの山奥の大自然の中で、ボクはすっかり野性に目覚め、田んぼや畑を駆け回り、狩りを覚え、ときには蟷螂《かまきり》と戯れたりしながら、自由奔放に生きているのだ。

どう？　ボク、オトナになったでしょ？

ボクはお母さんの声を覚えている。ボクはお母さんが優しくなめてくれていたことを覚えている。ボクはいつもお母さんがきっと見てくれていると信じているよ。
これから先も父ちゃんと母ちゃんを見守りながら、ずーっとずーっと末長く元気で悠々自適に暮らしていきたいと思っている。
ボクは一人じゃない。ボクは今幸せだよ。

「タマやー、ご飯でー」母ちゃんが呼んでいる。

自分には幸せになる権利がある。
あきらめないで。
自分が辿り着いた先には必ず
あたたかな光の見える道があるよ。

タマ

あとがき

七十余年生きてきて、このような文章を書くのは今回が初めてです。

きっかけは、子猫（タマ）が迷い込んできたことで、あどけない仕草を日々見ているうちに、無性に書きたい衝動にかられたのです。


タマは捨てられて何日か彷徨ったであろうため、最初は警戒心が強かったのですが、あれから丸五年が経ち、今ではすっかり我が家のボス的存在で、わたしたち二人を見守ってくれています。


わたしたちの言動・行動は全て見抜いているかのように感じられます。

特に主人はタマにメロメロで、一日何度もえさを与えるので、最近は少々メタボ気味で心配です。


わたしたちの一番の心配事は、やはり、タマの生涯をきちんと見届けることができるかどうかということです。わたしたち二人とももういい歳なので、それだけが一番気がかりなのです。

五年前に捨てられたときのような苦しくてつらい思いは、もう二度とさせたくありません。

これから先も今まで同様、日々の時間を大切にタマと共有しながら、穏やかに生活していけたらと願うばかりです。

最後になりましたが、わたしの念願だったこの本の出版まで、たくさんの助言を下さった北海道の株式会社アイワード竹島正紀様、挿絵をつけて下さった佐々木知佳様、多くの関係者の皆様には、多大なるご尽力を賜りましたことを、心より厚く御礼申し上げます。ありがとうございました。

☆吾が作文　北の国にて書籍《ほん》になり
タマと一緒に　よろこび分かつ

二〇二〇年十一月

新倉　ヨシコ

猫《ボク》はここにいるよ

発行日　2020（令和２）年12月15日

著　者　新倉ヨシコ

編　集　平尾秀代

挿　絵　㈱アイワード　佐々木知佳

発行元　株式会社 共同文化社
060-0033 札幌市中央区北３条東５丁目
Tel.011-251-8078 Fax.011-232-8228
http://kyodo-bunkasha.net/

印刷・製本　株式会社 アイワード

ISBN978-4-87739-346-5